ZOÉ et THÉO

il est temps de dormir

Catherine Metzmeyer & Marc Vanenis

casterman

Tous les soirs, papa ou maman racontent une histoire.
Aujourd'hui maman travaille très tard. Papa ferme le
livre quand Zoé déclare :
— Moi j'ai soif et je n'ai pas du tout envie de dormir !

Papa est fatigué et impatient :
— Maintenant tu dors ma chérie.

Un peu plus tard, Zoé a beau crier :
— Papa! Je dois faire pipi.
Papa ne vient pas.

Alors Zoé se lève toute seule.

Mais où est papa ? s'inquiète-t-elle.

Pas dans sa chambre! Peut-être en bas.

Zoé entend un drôle de bruit quand... une main surgit.

Ouf, c'est Théo qui dit :
— Toi aussi tu entends ce bruit ?
— Chut... murmure Zoé.

— On dirait un lion. Ça vient du salon.
— Tiens, Zoé, prends donc cette épée !

Brusquement la porte d'entrée s'ouvre.

Sauvés! Maman est là. Zoé bredouille :
— Papa a disparu et on entend un lion.

Maman éclaire le salon et sourit :
— Tout va bien. Venez voir papa lion qui ronfle !

— Et maintenant au lit, mes petits lionceaux, rugit maman tout doucement.

Imprimé en France.
Dépôt légal septembre 2006 ; D2006/0053/546
Déposé au ministère de la Justice, Paris
(loi n°49.956 du 16 juillet 1949 sur les publications destinées à la jeunesse).